Edition Schott

Organ · Orgel

Hermann Schroeder
1904 – 1984

6 Orgelchoräle über altdeutsche geistliche Volkslieder
6 Organ Chorales based on old German religious folksongs

opus 11

Herausgegeben von / Edited by
Peter A. Stadtmüller

ED 2265
ISMN 979-0-001-03673-3

www.schott-music.com

Mainz · London · Berlin · Madrid · New York · Paris · Prague · Tokyo · Toronto
© 1934/2010 SCHOTT MUSIC GmbH & Co. KG, Mainz · Printed in Germany

Herrn Professor Boell in Verehrung gewidmet

Vorwort

Hermann Schroeder schrieb die Sechs Orgelchoräle über altdeutsche geistliche Volkslieder op. 11 1931/33, nach Toccata c-moll op. 5a, Präludium und Fuge „Christ lag in Todesbanden", Fantasie e-moll op. 5b und wohl etwa gleichzeitig mit den Kleinen Präludien und Intermezzi op. 9. Sie gehören also zu seinen frühesten Orgelwerken. Es sind sechs Choräle in der Anordnung des Kirchenjahrs, und sie weisen sechs verschiedene Kompositionstechniken auf: schlichter vierstimmiger Satz mit Sopran-Cantus-firmus und sanft bewegten Unterstimmen; fröhliches Trio mit lebhafter, den Anfang des C.f. vorimitierender Oberstimme, Alt-C.f. und unauffällig vom Baß beigesteuertem zweiten C.f. (Vom Himmel hoch); sehr ruhiges Trio mit leicht ausgeziertem Tenor-C.f. und sehr kantabler Führung aller Stimmen; 4-stimmige Choralfantasie mit markanten Außenteilen über Pedal-Ostinato und in Dynamik und Tempo zurückgenommenem fugiertem Mittelteil; konzertant bewegtes Plenostück mit zahlreichen diminuierten Vorimitationen und mächtigem Pedal-C.f.; sehr ruhiger, vorwiegend klanglich empfundener fünfstimmiger Satz mit vom Pedal gespieltem Sopran-C.f.

Ob die Stücke für die Verwendung im Gottesdienst in direkter Verbindung mit den entsprechenden Liedern gedacht sind, ist eher unwahrscheinlich („geistliche *Volks*lieder"!). Dafür gab es im katholischen Gottesdienst seinerzeit kaum Möglichkeiten. Daß das gespielte Kirchenlied das gesungene strophenweise oder ganz ersetzt, ist protestantische Praxis. (Die katholische Praxis kannte das Alternieren zwischen Gesang und Orgel nur beim (lateinischen) gregorianischen Choral).

Von den sechs Chorälen stehen fünf in nicht zum Gesang passenden Tonarten (Nr. 1, 2, 3 und 6 zu hoch, Nr. 5 zu tief), nur „Christ ist erstanden" ließe sich mit dem Gemeindegesang verbinden, ist aber dafür eigentlich zu lang. Es handelt sich bei dieser Sammlung also wohl eher um autonome Orgelmusik, die natürlich auch im Gottesdienst verwendet werden kann, zumal die nachkonziliare katholische Liturgie dem solistischen Orgelspiel wieder mehr Raum läßt, etwa als Orgelmusik zur Gabenbereitung oder zur Kommunion (je nach Charakter des Stücks) oder als Nachspiel (Nr. 4 und 5). Die Choräle sind Heinrich Boell (1890-1947) gewidmet, der von 1925 bis 1936 eine Orgelklassse und die Abteilung für evangelische Kirchenmusik an der Kölner Musikhochschule leitete.

Zur Interpretation

<u>Tempo</u> und <u>Registrierung</u> sind so zu wählen, daß alles klar und deutlich zu hören ist. Die schnellen Sätze sollten also nicht zu rasch genommen werden. Es ist in diesem Zusammenhang interessant, daß Schroeder bei *Christ ist erstanden* die ursprüngliche Angabe „Allegro marcato" noch im Autograph in „Marcato" korrigiert, das Wort „Allegro" also eliminiert hat. Die Registrierung soll farbig sein und dem Ausdruck der Stücke entsprechen: charakteristische Soloregistrierungen für die Cantus firmi (Aliquote im Sopran, Zungen oder auch Prinzipal 8' im Tenor, Posaune 16' im Baß), Begleitregistrierungen schlicht, Pleno glänzend, meist ohne 16'. Keine dicken Klänge. Die Entstehungszeit der Stücke ist die Frühzeit der Orgelbewegung mit ihrer Vorliebe für obertonreiche Registrierungen (Mixturen).

In der <u>Artikulation</u> hat der Spieler relativ große Freiheit über das vom Komponisten Angegebene hinaus. Grundartikulation ist zwar das Legato, aber es steht auch die ganze Palette von dichtem Legato bis zu Staccato zur Verfügung. So empfiehlt sich etwa bei *Es flog ein Täublein weiße*, *In stiller Nacht* und *Schönster Herr Jesu* ein kantables Legato mit weichem Absetzen nach den notierten Legatobögen, bei *In dulci jubilo* für die Oberstimme leggiero bis staccato, ausgenommen die vom Komponisten notierten und analog zu ergänzenden Legatofiguren, bei den Manualstimmen der Außenteile von *Christ ist erstanden* für Halbe und Viertel markiertes détaché, für Achtel lockeres legato, bei der Pedalstimme legato oder breites détaché, bei *Nun bitten wir den heiligen Geist* für die Sechzehntel lockeres legato, für die Achtel je nach Situation staccato, non legato oder (vor allem bei linearer Bewegung) legato.

Wie der erste Choral *Es flog ein Täublein weiße* mit seinen originalen Atemzeichen zeigt, sollten die Cantus firmi zeilenweise phrasiert werden, vor allem in *In stiller Nacht* und *Schönster Herr Jesu*, wo die Zäsuren nicht angezeigt und auch nicht (durch Pausen) auskomponiert sind.

Zur Edition

Druckfehler der Erstausgabe wurden stillschweigend korrigiert. Unsere Neuausgabe stützt sich auf den Erstdruck und das im Verlagsarchiv Schott aufbewahrte Autograph. Abweichungen vom Autograph des Komponisten:

Christ ist erstanden:
In Takt 42, oberes System, 2. Viertel, Unterstimme, findet sich in Autograph und Erstdruck der Ton d^2, bei der Parallelstelle in Takt 5 dagegen h'. Angesichts dessen, daß die ersten 9 Takte von Anfang und Reprise des Stückes ansonsten völlig identisch sind, ist dieser minimale Unterschied sehr wenig wahrscheinlich und vermutlich ein Schreibversehen des Komponisten, entweder in Takt 5 oder – sehr viel wahrscheinlicher – in Takt 42 (siehe die Stimmführung von Sopran und Alt jeweils zu Beginn der Takte 2 – 5 bzw. 39 – 41).
Am Beginn der Reprise (bei Tempo I) wurden die *ff* – Zeichen analog zum Anfang ergänzt.

Nun bitten wir den heiligen Geist:
In Takt 26, mittleres System, findet sich im Autograph ein Staccatopunkt auf dem 1. Viertel-Akkord (Taktzeit 3). Dieser Punkt gehört mit hoher Wahrscheinlichkeit nicht dorthin, sondern auf den davorstehenden Achtel-Akkord, entsprechend dem gleichzeitigen Staccato-Akkord im oberen System.

Peter A. Stadtmüller

Preface

Hermann Schroeder wrote these Six Organ Chorales based on old German religious folksongs Op. 11 in 1931/33, after his Toccata in C minor Op. 5a, the Prelude and Fugue *'Christ lag in Todesbanden'* [Christ lay in Death's dark prison], the Fantasia in E minor Op. 5b and probably at about the same time as the Little Preludes and Intermezzos Op. 9, so they are among the earliest of his organ works. These six chorales are designed to mark various stages in the church year and they present six different techniques of composition: a simple four-part setting with a soprano cantus firmus and gentle movement in the lower parts; a jolly trio where the cantus firmus has its opening prefigured in a lively upper part, features in the alto line and appears again in an unobtrusive bass line (*Vom Himmel hoch* [From heaven above]); a very calm trio with subtly decorated cantus firmus in the tenor line and the other parts moving very smoothly; a four-part chorale fantasia with clearly defined outer sections over a pedal ostinato and a fugal middle section at a slower tempo and softer dynamic; a declamatory *pleno* setting with numerous compressed details picked out from the theme for imitative treatment and a powerful cantus firmus on the pedals; a very calm five-part setting with a soprano cantus firmus played on the pedals.

In the light of their description as religious *folk*songs, it seems rather unlikely that these pieces were meant to be played alongside the relevant hymns in church services, as the Catholic mass of that time allowed little scope for settings of this kind. Having hymns played instead of singing some or all of the verses is generally more a feature of the Protestant tradition, though in the past the Catholic church did have this alternating practice with its Gregorian chorales, sung in Latin.

Of these six chorales, five are in keys not suitable for congregational singing (Nos. 1,2,3 and 6 are too high, No. 5 is too low), while only *'Christ ist erstanden'* [Christ is arisen] might be sung by the congregation – but it is really too long for that purpose. This collection is thus more likely to represent an independent set of organ pieces, which might of course be used in church services – especially now that the Catholic liturgy since the Second Vatican Council allows more scope for solo organ music, for example during the offertory or communion (according to the character of the piece), or as a postlude (Nos. 4 and 5).

These chorales are dedicated to Heinrich Boell (1890-1947), who taught the organ and was in charge of the department of Protestant church music at the Cologne Academy of Music from 1925 to 1936.

Advice on performance

Tempo and registration should be determined in such a manner that everything can be heard clearly. The fast movements should not be taken *too* fast. It is worth pointing out that Schroeder corrected the original tempo indication *'Allegro marcato'* in his manuscript score to *'marcato'*, eliminating the word *'Allegro'*. Colourful registration should be used, corresponding to the mood of each piece: appropriate solo registers for the cantus firmus lines (aliquots for the soprano, reeds or principal 8' stops for the tenor, trombone 16' for the bass), with simple registration for the accompaniment and brilliant *pleno* sounds, generally without the 16' stop. Density of sound should be avoided. These pieces were written in the early days of the organ revival in Germany, when registers rich in overtones (mixtures) were in vogue.

As far as articulation is concerned, the player has a fair degree of freedom beyond what is specified by the composer. While the underlying style of articulation is *legato*, the whole range of touches may be used, from seamless *legato* through to *staccato*. In *Es flog ein Täublein weiße* [A small white dove went flying], *In stiller Nacht* [O silent night] and *Schönster Herr Jesu* [Fairest Lord Jesus], for example, a smooth *legato* sound is recommended, with soft endings to the *legato* phrases as marked; for *In dulci jubilo* the upper line should be played *leggiero* or *staccato*, apart from those figures marked *legato* by the composer and equivalent passages; in the manual parts in the outer sections of *Christ ist erstanden* the minims and crotchets should be played *détaché*, with a relaxed *legato* for the quavers and *legato* or a broad *détaché* for the pedal part; *Nun bitten wir den heiligen Geist* requires a relaxed *legato* for the semiquavers, while the quavers in various different places may be *staccato*, *non legato* or *legato* (particularly where motion is linear).

As can be seen in the first chorale *Es flog ein Täublein weiße* with its original breathing marks, the cantus firmus lines should be phrased line by line, particularly *In stiller Nacht* and *Schönster Herr Jesu*, where breaks between lines are not marked or written out with the use of rests.

Editorial policy

Any printing errors from the first edition have been corrected without comment. This new edition is based upon the first edition and the original manuscript kept in the Schott publishing archive. Discrepancies with the composer's original manuscript:

Christ ist erstanden [Christ is arisen]:
In bar 42 (upper system, 2nd quarter, lower part) the note d^2 appears in the original manuscript and the first edition, while the equivalent detail in bar 5 is a b^1. In view of the fact that the first nine bars of the beginning and the reprise are otherwise completely identical, this tiny difference is unlikely to have been deliberate and presumably represents a slip of the composer's pen, either in bar 5 or – far more likely – in bar 42 (compare with the soprano and alto lines at the beginning of bars 2-5 and 39-41).
At the beginning of the reprise (*tempo I*) *ff* markings have been added to match the beginning of the piece.

Nun bitten wir den heiligen Geist [We now implore the Holy Ghost]:
In bar 26 of the original manuscript there is a staccato dot marked on the first crotchet chord in the middle system (on the third beat): in all likelihood this dot does not belong there, but on the preceding quaver chord, to match the simultaneous staccato chord in the upper system.

Peter A. Stadtmüller
Translation Julia Rushworth

Préface

Les œuvres

Hermann Schroeder écrivit les *Sechs Orgelchoräle über altdeutsche geistliche Volkslieder* [*Six Chorals pour orgue sur des chants populaires religieux allemands*] op. 11 en 1931/33, après la *Toccata* en ut mineur op. 5a, le prélude et fugue *Christ lag in Todesbanden*, la *Fantaisie* en mi mineur op. 5b, et sans doute en même temps que les *Petits préludes et Intermezzi* op. 9. Ils font donc partie de ses toutes premières œuvres pour orgue. Il s'agit de six chorals, ordonnés selon la chronologie de l'année ecclésiastique, et présentant six techniques de composition différentes : un mouvement simple à quatre voix et cantus firmus au soprano, et voix inférieures aux doux mouvements ; un joyeux trio à la voix supérieure vive, imitant par anticipation le début du cantus firmus, un cantus firmus à l'alto et un second cantus firmus (« *Vom Himmel hoch* ») dû à la contribution discrète de la basse ; un trio très paisible, avec un cantus firmus légèrement ornementé, au ténor, et un traitement très cantabile de l'ensemble des voix ; une fantaisie en choral à 4 voix, avec des parties extérieures marquantes sur un ostinato à la pédale, et une partie centrale en fugue, à la dynamique et au rythme retenus ; un morceau en plein jeu au mouvement concertant, avec de nombreuses imitations anticipantes diminuées et un puissant cantus firmus à la pédale ; un mouvement très calme à cinq voix, ressenti comme principalement sonore, avec un cantus firmus au soprano, joué à la pédale.

Il est peu probable que ces morceaux aient été conçus pour être utilisés lors d'un service religieux en relation directe avec les chants correspondants (il s'agit de « chants *populaires* religieux » !). Le service religieux de son époque n'en présentait guère l'occasion. Le remplacement du chant par la musique jouée, par strophes ou totalement, est une pratique protestante. [L'Eglise catholique la connaissait cependant autrefois dans le choral (latin) grégorien].

Cinq des chorales sont dans des tonalités non adaptées au chant (les numéros 1, 2, 3 et 6 sont trop aigus, le numéro 5 trop bas), seul *Christ ist erstanden* pourrait être mis en relation avec le chant paroissial, mais en fait il est trop long pour cela. Ce recueil semble donc plutôt être de la musique pour orgue autonome, qui peut bien entendu être utilisée dans le cadre d'un service religieux, d'autant que la liturgie catholique postconciliaire laisse à nouveau plus de place à l'orgue solo, par exemple à titre de musique accompagnant la préparation des offrandes ou la communion (selon le caractère du morceau) ou en épilogue (n° 4 et 5).

Ces chorals sont dédiés à Heinrich Boell (1890-1947), qui dirigeait de 1925 à 1936 une classe d'orgue et le département de musique religieuse protestante de l'Ecole supérieure de Musique de Cologne.

L'interprétation

Le <u>tempo</u> et la <u>registration</u> doivent être choisis de telle sorte que tout soit clairement et nettement audible. Ne pas prendre trop vite les phrases rapides. Dans ce contexte, il est intéressant de savoir que, dans *Christ ist erstanden*, Schroeder a corrigé dans l'autographe déjà l'indication première „*Allegro marcato*" en „*Marcato*", éliminant donc le mot „*Allegro*". La registration sera colorée, et correspondra à l'expression des morceaux : des registrations solo caractéristiques pour les cantus firmus (mutation au soprano, anches ou encore principal 8' au ténor, trombone 16' à la basse), des registrations d'accompagnement simples, un jeu plein brillant, la plupart du temps sans 16'. Pas de sons gras. Ces morceaux virent le jour à l'aurore du mouvement de l'orgue, avec son enthousiasme pour les registrations riches en harmoniques (mixtures) !

Au niveau de l'<u>articulation</u>, l'interprète est relativement libre, au-delà des indications données par le compositeur. Certes, l'articulation de base est le *legato*, mais tout l'éventail du *legato* dense au *staccato* est à disposition. Ainsi par exemple, pour *Es flog ein Täublein weiße, In stiller Nacht* et *Schönster Herr Jesu*, il est recommandé d'utiliser un *legato* cantabile, avec détachement en douceur après les coulés notés ; pour *In dulci jubilo*, *leggiero* à *staccato* pour la voix supérieure, à l'exception des figures de *legato* notées par le compositeur et celles devant être complétées par analogie ; au niveau des voix du clavier des parties extérieures de *Christ ist erstanden*, un détaché marqué pour les blanches et les noires, un *legato* détendu pour les croches, pour la voix de la pédale un *legato* ou un large détaché ; pour *Nun bitten wir den heiligen Geist*, un *legato* détendu pour les doubles croches, pour les croches selon la situation un *staccato*, un *non legato* ou (surtout si le mouvement est linéaire) un *legato*.

Comme le montre le premier choral *Es flog ein Täublein weiße* avec ses signes de respiration originaux, les cantus firmus devraient être phrasés à la ligne, surtout dans *In stiller Nacht* et *Schönster Herr Jesu*, où les césures ne sont ni indiquées ni écrites (par des pauses).

L'édition

Les fautes d'impression de la première édition ont été corrigées de manière tacite. Notre réédition repose sur l'impression originale et l'autographe conservé aux archives des éditions Schott. Les divergences par rapport à l'autographe du compositeur :

Christ ist erstanden :
A la mesure 42, système supérieur, 2ième croche, voix inférieure, l'autographe et l'impression originale comportent la note d^4, à l'endroit parallèle à la mesure 5 par contre si^3. Etant donné qu'au reste les neuf premières mesures du début et de la reprise sont parfaitement identiques, cette différence minime est très peu vraisemblable, et probablement une erreur d'écriture du compositeur, soit à la mesure 5, soit – bien plus vraisemblablement – à la mesure 42 (voir le traitement des voix soprano et alto respectivement au début des mesures 2 – 5 et 39 – 41).
Au début de la reprise (au tempo I), les signes *ff* ont été complétés par analogie au début.

Nun bitten wir den heiligen Geist:
A la mesure 26, système moyen, l'autographe comporte un point de *staccato* sur le premier accord en noires (temps 3). Ce point est très vraisemblablement mal placé et devrait se trouver sur l'accord en croches précédent, conformément à l'accord *staccato* simultané du système supérieur.

Peter A. Stadtmüller
Traduction Martine Paulauskas

Herrn Professor Heinrich Boell in Verehrung gewidmet

Sechs Orgelchoräle
über altdeutsche geistliche Volkslieder
opus 11

Hermann Schroeder
(1933)

1. Es flog ein Täublein weiße

2. In dulci jubilo
(Nun singet und seid froh)

(1933)

Leicht und fröhlich bewegt (auf 2 Manualen)

3. In stiller Nacht

(1931)

4. Christ ist erstanden

(1931)

Etwas ruhiger

accel. al_ _ _ _ _ _ **Tempo I**

5. Nun bitten wir den heiligen Geist

(1933)

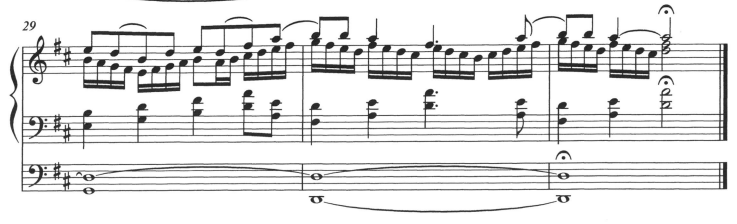

6. Schönster Herr Jesu

(1933)